W9-CRF-945

Please return to
Centre d'appui familial
#100 - 4800 Richard road SW
Calgary AB - T3E 6L1
403-249-0525 poste 6

Mes remerciements à Francine.

Première édition dans la collection *lutin poche* : mai 2006
© 2004, l'école des loisirs, Paris
Loi numéro 49 956 du 16 juillet 1949 sur les publications
destinées à la jeunesse : septembre 2004
Dépôt légal : mai 2006
Imprimé en France par Pollina à Luçon – n° L40037

Chen Jiang Hong

Lian

lutin poche de l'école des loisirs
11, rue de Sèvres, Paris 6ᵉ

Monsieur Lo est un pêcheur solitaire.
Sa jonque est sa maison.
Il est triste, cette année le poisson est rare.
Il passe ses journées à attendre.

Un jour d'orage, une vieille vieille femme
prie Monsieur Lo de lui faire traverser le lac.
Une fois sur l'autre rive, elle lui dit :
« Merci, pêcheur. Voici quelques graines
qui te porteront bonheur car elles viennent
de la gueule d'un dragon. »

9

Le soir venu, Monsieur Lo
plante délicatement les graines.

Presque aussitôt, un champ de lotus se met à pousser.

La nuit même, Monsieur Lo est réveillé
par une douce mélodie qui semble venir des fleurs.
L'une d'elles brille étrangement dans l'obscurité.

« Lian, Lian », chante le lotus.
Et soudain ses pétales s'ouvrent, découvrant
une petite fille.

Elle se réveille et se met à virevolter dans les airs.
C'est Lian.

« Change ! » dit Lian en touchant la jonque de Monsieur Lo
du bout de son lotus magique. Et la jonque se transforme en un magnifique
bateau laqué rouge.

Il suffit que Lian effleure la table et aussitôt un repas somptueux apparaît.
Elle effleure Monsieur Lo, et ses vêtements de coton deviennent un habit de soie
aussi beau que celui de l'empereur.

Chaque soir à la même heure, Lian s'éveille, sort du lotus
et fait apparaître tant de poissons que Monsieur Lo
peut les partager avec tous les habitants du village.

Mais à minuit, sans faute,
elle doit retourner dormir dans le lotus.

La nouvelle du bonheur
de Monsieur Lo
file comme le vent.

Elle arrive aux oreilles
de Tan, la fille du préfet.

« Qu'on m'amène cette Lian,
je la veux ! » déclare-t-elle.

Les gardes du préfet
partent sur-le-champ
à sa recherche.

Mais Monsieur Lo refuse de dire
où se trouve Lian.
Alors les gardes se déchaînent.
Ils mettent le feu au bateau,
saccagent le champ de lotus.

Et font prisonnier Monsieur Lo.

À son réveil, Lian est seule
au milieu du désastre.
Mais elle sait qui aller trouver.
Elle va voir la vieille vieille femme,
au sommet de la montagne.

La vieille vieille femme lui dit :
« L'injustice, la cupidité et la cruauté ne triompheront pas.
Sèche tes larmes, va et sauve Monsieur Lo. »

Lian court jusqu'à la demeure
du préfet. Aucun garde,
aussi terrible soit-il,
ne peut l'arrêter.

« Tu veux libérer Monsieur Lo ? » dit le préfet. « C'est très simple.
Prends ton lotus magique et transforme tout ce qui est ici en or. »

Lian obéit. Du bout de son lotus, elle touche tout ce qu'elle voit.
Elle fait même apparaître des bijoux.

Le préfet est fou de joie, mais…

... Pour sa fille, Tan, ce n'est pas suffisant. Elle tend la main pour s'emparer du lotus magique.

« Non ! » crie Lian.
« N'y touche pas ! »
Mais c'est trop tard. À peine
Tan a-t-elle effleuré le lotus
qu'elle se change en or
et devient aussi immobile
qu'une statue.

« Ma fille ! » s'écrie le préfet. « Lian, je t'en supplie,
rends-moi ma fille ! »
« C'est impossible », dit Lian tristement.
« Tan a touché le lotus. Le charme est rompu.
Ma fleur n'est plus magique. »

Le préfet est désespéré.
Il laisse partir Lian et Monsieur Lo.

Adieu magie, adieu vêtements de soie,
adieu paniers emplis de poissons.
Il faut reconstruire un bateau et pêcher
de ses mains.

Mais Lian est désormais
une vraie petite fille.

Elle ne vit plus dans une fleur, et elle est heureuse de grandir auprès d'un père qui s'occupe d'elle.